ENORMOUS ELEPHANT

HODDER CHILDREN'S BOOKS

First published in Great Britain in 2008 by Hodder Children's Books
This edition published in 2016 by Hodder and Stoughton

10 8 6 4 2 1 3 5 7 9

Text copyright © Bruce Hobson, 1986
Illustrations copyright © Adrienne Kennaway, 1986

A CIP catalogue record for this book
is available from the British Library.

ISBN 978 1 444 93761 9

Printed in China

Hodder Children's Books
An imprint of
Hachette Children's Group
Part of Hodder and Stoughton
Carmelite House
50 Victoria Embankment
London EC4Y 0DZ

An Hachette UK Company
www.hachette.co.uk

www.hachettechildrens.co.uk

Enormous Elephant

Written by
Mwenye Hadithi

Illustrated by
Adrienne Kennaway

h
Hodder
Children's
Books

In the days before the Big Rains many
of the animals on the Great Plains
looked very different.

Python was
short and fat.

Ostrich had a short neck
and very short legs.

And Elephant had a short stump of a nose and a short tuft for a tail, but a very **BIG** body.

"Elephant has such a short tail and such a small nose!" Python giggled. "And they're stuck on either end of such a large body!"

"It makes him look enormous!" laughed Ostrich.

"I'm not enormous," grumbled Elephant. "I'm just big. My nose is small and my tail is short so I look bigger than I am."

Since Elephant could only pick up a small amount of grass and water in his little trunk, he had to spend all day eating and drinking.

This made him look very greedy.

"I'm not greedy," grumbled Elephant.
"There's just a lot of me to fill and I can
only put in a small amount at a time."

So Enormous Elephant and his family spent
all their time going from lake to river to pond
and back again, drinking and eating for hours.
They travelled in a long line, each short tail
in front held by a small nose behind.

In Big Mud Lake there
lived a Very Large Crocodile.
Nobody had ever seen him, but
everybody knew he was there.

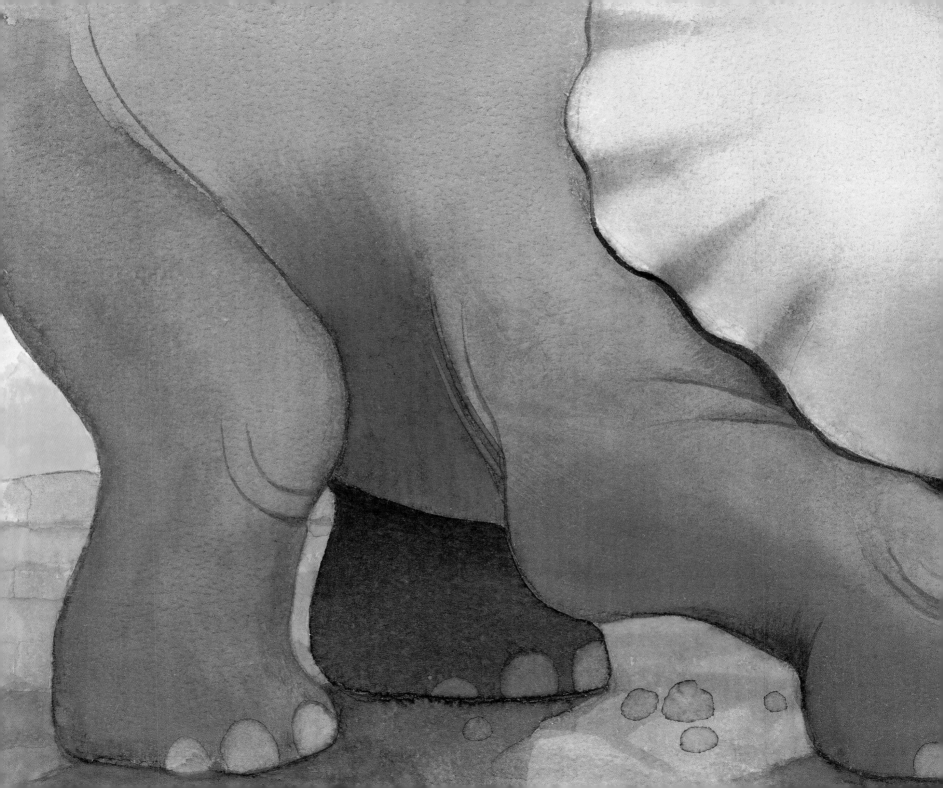

As the sun grew hotter, the rivers and ponds dried up. Soon the elephants could not find enough water to drink. So one evening, as they passed along the shores of Big Mud Lake, Enormous Elephant dipped his trunk in the water. Just the very tip. Just a little bit.

Now the water was so low that the bottom of the lake was rather close to the top, and Very Large Crocodile was only just covered by the shallow water.

Crocodile opened one eye and there he saw a small wriggling wiggler! So he opened his mouth and...

"HELfPf!" cried Enormous Elephant
as he suddenly found his trunk was stuck. He tugged
and he pulled, but it was trapped in the water.

Each elephant held fast
to the one in front.
Then the whole line of
elephants hauled and heaved,
but Enormous Elephant's
trunk was still stuck.

Ostrich was passing and took the tail of the
last Elephant in her beak. She strained and
she skidded, but Enormous Elephant's
trunk would not budge.

"HELfPf!"

yelled Enormous Elephant.

Python was passing and held
tight to Ostrich's feet.
He tugged and he twisted,
but still Elephant's trunk
would not pull free.

Spider was passing and when she saw the animals in a
long line, tugging and pulling, she spun a silver rope.
She tied one end to Python's tail and the other end
she wound round and round a Baobab tree.

Then, as the evening wind began to
blow strongly, the Baobab tree
leaned with the wind and the silver
rope began to tighten.

At the bottom of Big Mud Lake,
Very Large Crocodile felt his jaws
begin to ache. Since he was rather
attached to his teeth, he opened
them with a sudden

SNIKK!

And Enormous Elephant was free.

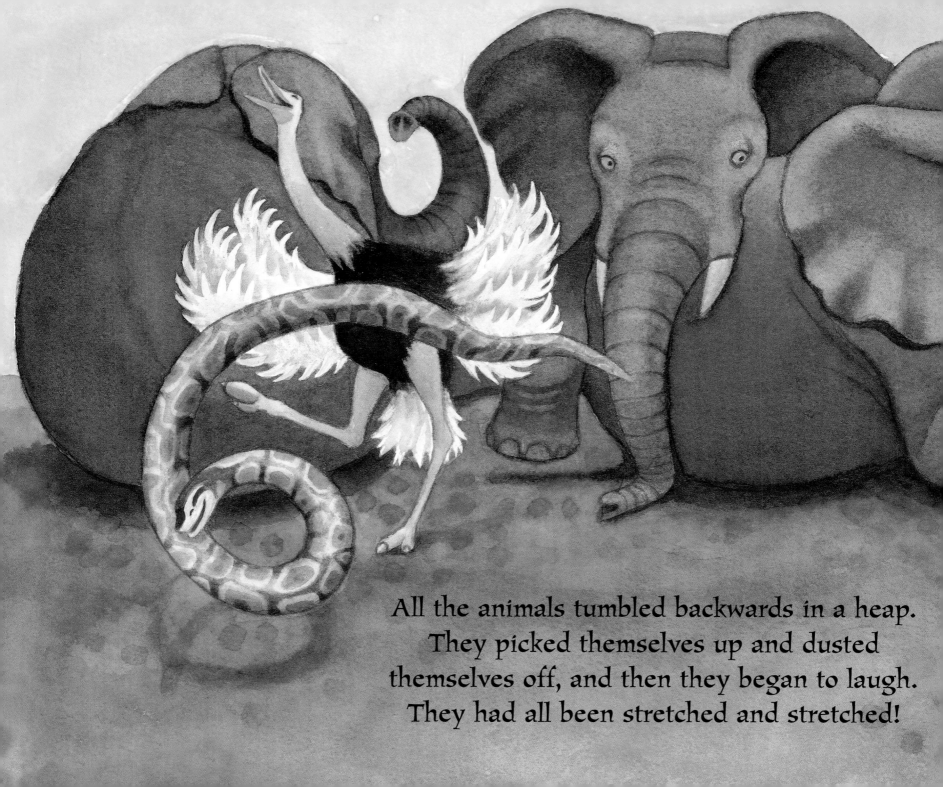

All the animals tumbled backwards in a heap.
They picked themselves up and dusted
themselves off, and then they began to laugh.
They had all been stretched and stretched!

Ostrich had a long thin neck. And such long legs she could run like the wind!

Python was long and smooth and snakelike. She could slide and stretch and slither!

And when they saw
Enormous Elephant with his
new long trunk and his fine
tail, they realised he wasn't
enormous after all.
He was just right.

On the Great Plains, Enormous
Elephant and his family showed off their
new trunks and tails to the other animals.

And every evening by Big Mud Lake,
one more elephant would come and dip
his trunk in the water. But just the very,
very tip. Just a little tiny bit.

And to this day elephants tromp proudly across the Great Plains, waving their trunks and swishing their tails.

ESTE LIVRO PERTENCE A:

_____

_____

_____

_____

Aí vem o

De Kathryn White   Ilustrado por Michael Terry

Crocodilo

Ciranda Cultural

FAZIA MUITO CALOR LÁ NO MEIO DA FLORESTA
QUANDO O CROCODILO SAIU DO RIO, IMPACIENTE.
ELE DISSE: – HOJE NÃO ESTOU PARA FESTA!
PRECISO COMER ALGUMA COISA RAPIDAMENTE!
E SAIU COM O RABO DANDO CHICOTADA,
AMEDRONTANDO TODA A BICHARADA.

O CROCODILO FAMINTO VIU O RABO DO MACACO
E NÃO HESITOU – DEU UMA ABOCANHADA!
MAS O MACACO FOI ESPERTO E LOGO ESCAPOU,
PARA SUA SORTE NÃO ACONTECEU NADA.

– NEM PENSE EM ME COMER, CROCODILO.
VOCÊ VAI SE ARREPENDER AMARGAMENTE,
NUNCA MAIS FICARÁ ASSIM, TRANQUILO,
POIS PERDERÁ TODOS OS SEUS DENTES.
EU SOU FEITO DE CHOCOLATE ENJOATIVO,
POR ISSO EU NÃO SOU NADA DIGESTIVO.
ESCUTE-ME SE NÃO QUISER VIRAR CARTEIRA.
– ESTÁ BEM – DISSE O CROCODILO, PENSATIVO.
– EU SÓ ESTAVA FAZENDO UMA BRINCADEIRA.

O CROCODILO ESTAVA FAMINTO
COMO NUNCA ANTES NA VIDA.
ENTÃO VIU DOIS FLAMINGOS
E JÁ IMAGINOU COMIDA!
– QUE SURPRESA SABOROSA
– ELE DISSE, TODO CONTENTE.
– VEJO LANCHES COR-DE-ROSA.
VOU DEVORAR RAPIDAMENTE!
MAS NÃO POSSO DEMORAR,
POIS OS DOIS PODEM VOAR
E, PARA MINHA INFELICIDADE,
EU VOU FICAR AQUI SÓ NA VONTADE.

– NÃO OUSE NEM NOS LAMBER
– DISSERAM LOGO AS DUAS AVES.
– ESCUTE O QUE IREMOS DIZER:
VOCÊ TERÁ ALGO MUITO GRAVE
CASO APENAS TENTE NOS COMER.
DE ALGODÃO DOCE SOMOS CONSTITUÍDAS
E VOCÊ VAI FICAR COM DOR DE BARRIGA,
ALÉM DE GRITAR, GEMER E UIVAR
TODO O TEMPO, SEM PODER PARAR.
– NÃO SE PREOCUPEM COMIGO.
NÃO SOU NENHUM INIMIGO.
– ELE DISSE, COM MUITO RECEIO.
– VIM AQUI SÓ DAR UM PASSEIO.

O CROCODILO SAIU MAIS UMA VEZ DERROTADO,
MAS ENTÃO VIU UM ELEFANTE BEBENDO ÁGUA.
– ENFIM MEU ALMOÇO! – ELE DISSE ANIMADO.
ENTÃO ENTROU NO LAGO, BEM SILENCIOSAMENTE.
E, VENDO O ELEFANTE, DEU UM PULO DE REPENTE.

– CROCODILO, SE ME DEVORAR
VOCÊ VAI TER UM PROBLEMA.
SUAS MANDÍBULAS IRÃO TRAVAR
E EU NÃO SENTIREI PENA.
HÁ TAMBÉM OUTRO MOTIVO:
SOU DURO COMO ROCHEDO,
POR ISSO EU O INCENTIVO
QUE NEM ENCOSTE O DEDO.
– CLARO, AMIGO ELEFANTE.
– ELE DISSE, ENVERGONHADO.
– VOCÊ É BEM APAVORANTE.
NEM PENSEI EM SER MALVADO!
ESTOU AQUI SÓ DE PASSAGEM.
PORTANTO, PEÇO SUA LICENÇA.
PROSSEGUIREI MINHA VIAGEM.

O CROCODILO VIU UMA ZEBRA PASTANDO
E JÁ VIU A OPORTUNIDADE PARA SE SACIAR,
POIS O SEU APETITE ESTAVA AUMENTANDO,
E ESTAVA LOUCO PARA ALGO DEVORAR.
ELE ENTÃO ANDOU NA GRAMA, LENTAMENTE
NA PONTA DOS PÉS, TODO FELIZ E CONTENTE.
E PENSOU: "VOU POR TRÁS, COM MUITO JEITO.
PARA DEVORAR A ZEBRA E FICAR SATISFEITO".

A ZEBRA DISSE, SEM HESITAR:

– JÁ VOU AVISÁ-LO DE ANTEMÃO:

CASO SE ATREVA A ME DEVORAR,

VOCÊ VAI TER MUITA AFLIÇÃO.

SUAS PERNAS VÃO BAMBEAR

E VOCÊ FICARÁ TODO ROSADO,

COM PINTAS POR TODO LADO,

E NÃO VAI PARAR DE ESPIRRAR.

O CROCODILO DISSE, DESCONFIADO:

– ISSO NÃO DEVE SER VERDADE.

VOCÊ É SÓ UM CAVALO LISTRADO!

E A ZEBRA DISSE, COM SERIEDADE:

– SIM, ISSO É SÓ O QUE APARENTA.

MAS DIREI ANTES QUE PASSE MAL:

AS LISTRAS BRANCAS SÃO DE SAL

E AS PRETAS SÃO DE PIMENTA.

– BUÁ! – CHOROU O CROCODILO,
COM AS LÁGRIMAS ESCORRIDAS.
– PARECE QUE FAZ UM ANO
QUE EU NÃO VEJO COMIDA!
ELE CHOROU E ESPERNEOU,
GRITOU E FEZ A MAIOR CENA.
– EU QUERO A MINHA MAMÃE!
– BERROU TANTO QUE DEU ATÉ PENA.
COITADO DO POBRE CROCODILO.
MAS ATÉ QUE FOI ENGRAÇADO
VER AQUELE BICHO ESFOMEADO
CHORANDO E FAZENDO AQUILO.

OS ANIMAIS DA FLORESTA,
VENDO O POBRE CROCODILO,
FORAM LÁ FALAR COM ELE
E O DEIXARAM MAIS TRANQUILO.
A ZEBRA, CHEIA DE BONDADE,
FALOU QUE DIVIDE SUA GRAMA.
O MACACO, COM SUA CARIDADE,
ATÉ LEVOU-LHE UMA BANANA.
OS FLAMINGOS TAMBÉM FORAM,
E LEVARAM-LHE UM PRESENTE.
E O ELEFANTE, COM A TROMBA,
JORROU ÁGUA, DE REPENTE.
DISSE QUE ERA PARA REFRESCAR
O CROCODILO DE CABEÇA QUENTE.
TODOS JUNTOS DERAM RISADA,
E O CROCODILO FICOU CONTENTE
COM A AJUDA DA BICHARADA.

FAZIA MUITO CALOR LÁ NO MEIO DA FLORESTA
E TODOS OS ANIMAIS BRINCAVAM ALEGREMENTE.
O TIGRE APARECEU, ATRAPALHANDO AQUELA FESTA
E DISSE: – PRECISO COMER ALGO IMEDIATAMENTE!

Para Charlie, minha inspiração
~ *KW*

Para meu filho,
meu pequeno crocodilo
~ *MT*

LITTLE TIGER PRESS
Primeira publicação na Grã-Bretanha em 2004
Esta edição foi publicada em 2004
Texto © 2004 Kathryn White
Ilustrações © 2004 Michael Terry
Kathryn White e Michael Terry declararam seus direitos
de serem identificados, respectivamente,
como a autora e o ilustrador desta obra sob o Copyright,
Design and Patents Act, 1988

© 2009 desta edição:
Ciranda Cultural Editora e Distribuidora Ltda.
Rua Frederico Bacchin Neto, 140 – cj. 06
Parque dos Príncipes – 05396-100
São Paulo – SP – Brasil

Direção geral Clécia Aragão Buchweitz
Coordenação editorial Jarbas C. Cerino
Assistente editorial Elisângela da Silva
Tradução Fabio Teixeira
Preparação Michele de Souza Lima
Revisão Brenda Rosana S. Gomes
Diagramação Selma Sakamoto

1ª Edição
3ª Impressão em 2011
www.cirandacultural.com.br

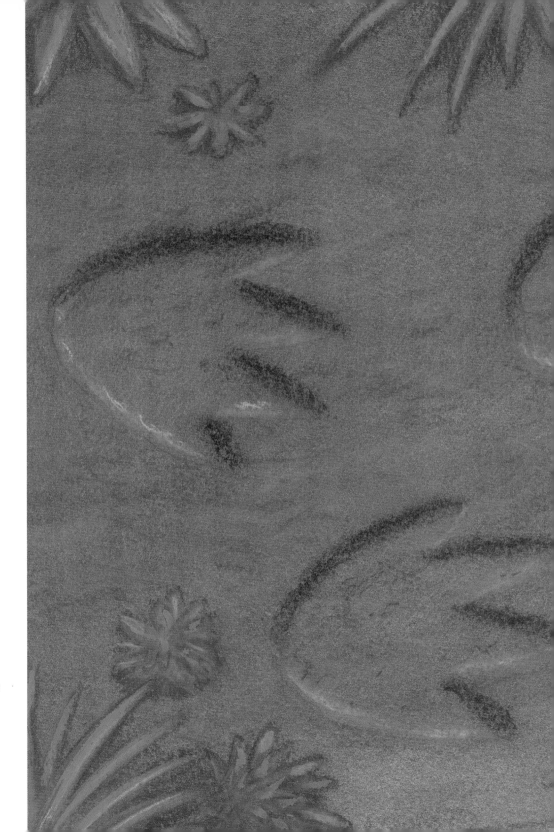